¡Hurra!
Susanita ya tiene dientes

¡Hurra!
Susanita ya tiene dientes

Dimiter Inkiow

Traducción de Rafael Arteaga
Ilustraciones de Michaela Reiner

www.librerianorma.com | www.literaturainfantilnorma.com

Bogotá, Buenos Aires, Caracas, Guatemala,
Lima, México, Panamá, Quito, San José,
San Juan, Santiago de Chile.

Título original en alemán:
Hurra! Susanne Hat Zahne
de Dimiter Inkiow

© 1984 Erika Klopp Verlag GmbH, Berlín
© 1991 Carvajal Soluciones Educativas S.A.S.
Av. El Dorado 90-10, Bogotá, Colombia

Impreso por Editorial Buena Semilla
Impreso en Colombia - *Printed in Colombia*

Reimpresión: mayo de 2009
Marzo, 2017

Dirección editorial: María Candelaria Posada
Traducción: Rafael Arteaga
Ilustraciones: Michaela Reiner
Diagramación y armada: Andrea Rincón
Elaboración de cubierta: Patricia Martínez Linares

CC 26011036

ISBN 10: 958-04-1146-8
ISBN 13: 978-958-04-1146-8

Contenido

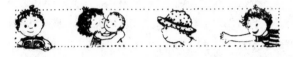

1. No es fácil ser hermano mayor

No es nada fácil ser el hermano mayor de un bebé. A veces es muy difícil. ¡Antes de que naciera mi hermanita no podía imaginar lo difícil que sería! ¿Pero por qué? Pues cuando te llegue un hermanito lo verás, aunque para entonces será demasiado tarde pues el bebé ya habrá llegado y será imposible devolverlo. Te lo digo. ¡Te vas a sorprender!

Aunque el bebé sea calvo y no tenga dientes, como el abuelo, todos lo admirarán como un prodigio universal. Todo el mundo dirá:

—Oh, ¡qué lindo es!

Muchas veces me he preguntado si de pronto no se habrá quedado todo el mundo ciego, pues todos están encantados con ese bebé tan feo, ese bebé que yo había deseado tanto, mi hermanita Susana.

Yo la quería con bucles rubios y no calvita, pero me tocó conformarme.

Mamá me dijo que después le saldrían pelitos. Ojalá sea así. Yo esperaré.

Por el momento parece sólo una pobre salchichita. De verdad. No

sabe hacer nada fuera de dormir y llorar. Y esto tampoco lo sabe hacer bien.

De noche llora cuando todos queremos dormir, y durante el día duerme. A veces no hay cómo consolarla, y en casa tengo que andar en medias y sin hacer ruido para que mi hermanita no se despierte. No puedo ver televisión, no puedo oír música fuerte. Y todo por culpa de ella. Porque

está durmiendo. ¿Es eso vida? Pues no. ¿Por qué no duerme de noche como todo el mundo?

Mamá me dice que yo también fui así, pero no le creo. Eso me lo dice sólo para que a mí no me dé rabia con Susanita. ¿O es que todos los bebés son así? El que lo sepa que me escriba para que cuando tengamos otro bebé en casa y se porte de la misma manera, yo sepa a qué atenerme.

¿Otro bebé en casa? No, mejor no. Eso nunca. No podría aguantar a otro muchachito chillando toda la noche.

Ayer, mi profesor de música me preguntó:

—Dime una cosa, Claudio, ¿estás durmiendo bien? ¡Se te están cerrando los ojos!

—Sí —dije yo asintiendo con la cabeza.

Anoche apenas pude pegar el ojo pues me he convertido en hermano mayor. Tenemos en casa un bebé que llora todas las noches.

—¿Sabes una cosa, muchacho? —dijo entonces el maestro—. Dile a tus padres que te tapen los oídos con "oropax" para que no oigas nada.

Bueno, pero si mis padres no oyeran llorar a la niña, ¿quién la consolaría?

—Si Susanita llora —dice ma má— es porque algo le pasa. O quiere comer, o quiere que le cambien su pantaloncito y que la limpien. Ningún bebé llora simplemente porque sí.

Probablemente es cierto.

Ahora ya sé de dónde viene el olor tan desagradable que hay en nuestro apartamento. Sin embargo, a nadie parece importarle.

A veces quisiera saber si todos se pondrían tan contentos si yo, por ejemplo, en lugar de ir al baño, alguna vez lo hiciera en los pantalones

Creo que lo ensayaré a ver qué pasa.

2. De cómo me tapo los oídos con "oropax"

Como el profesor me había dicho "Jovencito, tienes que taparte los oídos con 'oropax'" les dije a mis papás:

—Mamáaa, papáaaaa, cómprenme "oropax" de inmediato.

—¿Para qué? —preguntaron ellos.

—Para taparme los oídos de manera que no me despierte por la noche cuando Susanita llora. De lo contrario, tendré que dormir en la escuela. Siempre me quedo dormido en clase —les contesté.

Ambos me miraron muy sorprendidos.

—Mi profesor de música me pidió que les dijera que tienen que comprarme "oropax". Así podré dormir sin que nada me despierte. ¿Es eso cierto? —pregunté.

—Sí, es cierto —afirmó papá, y por la noche me trajo "oropax".

Seguramente me vas a preguntar qué es "oropax". Es algo así como una goma de mascar, pero no es pegajosa.

Cuando uno se tapa bien los oídos con este material, no oye absolutamente nada. De verdad.

Esa misma noche papá me tapó los oídos con "oropax". Y, como por encanto, no volví a escuchar absolutamente nada. Fue como si Susanita hubiera dejado de llorar para siempre.

—¡No oigo nada! ¡No oigo nada! —exclamé, y me fui feliz a la cama.

En mi camita cerré los ojos y me sentí sentí feliz de no oír ni el más mínimo ruido.

Había tanto silencio que parecía como si todo el mundo hubiese desaparecido.

Ahora sí podría dormir con toda tranquilidad.

Ya casi me había dormido cuando de pronto, no sé cómo ni por qué, me pregunté si Susanita estaría llorando en ese momento.

Puse mucha atención, pero no oí nada.

Pensé entonces: "Sí, la pobrecita está llorando".

Por eso me quité el "oropax" de uno de mis oídos.

No, todo estaba en silencio. La pequeña dormía, gracias a Dios.

Otra vez me metí el "oropax" en el oído. Sin embargo, ya no podía dormirme pues a cada momento pensaba que Susanita podría estar llorando y que nadie la oiría. ¿Por qué? Pues es muy claro:

Papá duerme como un lirón. Eso lo sabemos muy bien. Cuando duerme como un lirón, y además ronca, no es posible despertarlo ni con un redoble de tambor.

Y mamá con seguridad estaba muy cansada y, por lo tanto, no oiría cuando Susanita llorara.

Y yo, su hermanito mayor, estaría aquí acostado, con un par de tacos de "oropax" en los oídos, para no oír cómo lloraba la pobre lagartijita.

Algo así, ¿no sería una canallada?

Me quité entonces el "oropax" de ambos oídos y lo puse sobre la mesa de noche.

Finalmente pude dormir.

3. Imagínense, Susanita durmió toda la noche sin interrupción

Anoche sucedió algo maravilloso.

Imagínense: Susanita durmió to da la noche, sin interrupción.

Durmió toda la noche y no se despertó. Seguro que lo hizo por consideración conmigo. Ella no quería que yo me quedara dormido en la escuela.

A la mañana siguiente nadie en casa salía de su asombro.

—¡Qué cosa más maravillosa! —festejó mamá—. La nenita duerme ya toda la noche.

Yo asentí entusiasmado.

—¡Ya lo sé! —dije.

—¿Cómo lo sabes? —indagó papá. Y agregó—: Anoche te tapé los oídos con "oropax" para que no oyeras nada.

—Pero yo me saqué los dos tacos de los oídos —dije—. No quería que Susanita empezara a llorar y nadie la oyera.

—¡Pero si tu papá y yo estábamos pendientes! —dijo mamá.

—Sí —agregué—, pero tú estabas cansada y papá duerme como un lirón. Eso lo sabemos todos muy bien. Y cuando él duerme y ronca como un lirón, no lo despiertan ni siquiera veinte cañones. Hasta tú dices eso.

Papá y mamá rieron en coro.

Sus carcajadas fueron tan fuertes que Susanita se despertó y empezó a llorar.

Veloz como un cohete corrí hacia ella y la cargué. Como yo ya soy un niño grande, la puedo alzar.

—¿Quieres tu biberoncito, pequeña? —le pregunté, y luego me puse mimoso—: Pronto te convertirás en un bebé grande pues ya duermes to da la noche. De verdad que eres una nenita muy juiciosa. Por eso, de aho- ra en adelante te cargaré todos los días.

No sé si Susanita me entendería, pero yo creo que sí, porque me mi ró con sus ojotes y dijo con voz muy fuerte:

—¡Aaaaguuuuuuuuu!

4. Para los bebés no todo es color de rosa

—Mamá, mamáaa, ¿tú crees que los bebés la pasan bien?

—¿Por qué no habrían de pasarla bien? —replicó mamá sonriendo.

—¿Tú crees que Susanita también la pasa bien?

—Naturalmente que la pasa bien. Nada le hace falta.

—Yo creo, sin embargo, que no la pasa bien.

—¿Por qué no?

—Porque no hace otra cosa que estar acostada día y noche. A mí no me gustaría estar acostado durante meses en una cama, vestido sólo con un pañal y mirando el techo todo el día. ¡Me enloquecería!

—Porque tú ya eres grande, pero ella no es más que una bebita.

—Precisamente: ¡La vida de los bebés es dura!

—¡Eso no es cierto!

—¡Claro que sí! Y ¿sabes por qué más pienso que los bebés no la pasan bien? Porque siempre tienen que tomar leche. Por la mañana leche, al medio día leche y por la noche leche. Leche como entrada, leche como plato principal, leche como postre. Si yo tuviera que tomar leche todos los días, por semanas y meses enteros, me vomitaría de sólo olerla. ¡Entiendo muy bien por qué Susanita vomita después de tomarse su biberón!

—Ella vomita porque toma más leche de la debida —contestó mamá—. Eso les pasa a todos los bebés.

—Mamá, de todas maneras pienso que los bebés no la pasan bien —insistí.

—¿Y por qué no?

—Porque, porque... piensa... porque, por ejemplo, no pueden hablar. Cuando Susanita tiene el pantaloncito sucio no puede decir: "Por favor, tráiganme un pañal nuevo". Y cuando tiene sed y hambre no puede decir: "Por favor, denme rápido mi biberón". Ella tiene que llorar. Y con seguridad sucede que a un bebé le dan un biberón cuando lo que quiere es un pañal limpio. Por esto creo que para los bebés no todo es color de rosa.

Mamá se rió y exclamó:

—¡Eso no es cierto!

—Sí, mamá, sí —le dije yo.

—Los bebés la pasan mucho mejor que tú —me respondió.

—¿Por qué? —repliqué.

—Por la noche no tienen que lavarse los dientes —me dijo.

—¡Ah, porque no tienen dientes! —le respondí—. Tienes razón.

—Y por la mañana no tienen que levantarse tan temprano como tú, porque no tienen que ir a la escuela —dijo mamá.

Eso también era cierto, pero yo no quería todavía darme por vencido.

Pensé mucho y exclamé:

—A pesar de eso no creo que la pasen bien. ¡Los bebés son verdaderamente gente muy paciente!

5. De por qué me engañaron y me pusieron un uno a causa de Susanita

Mi hermanita Susana me preocupa muchísimo. Hasta en la escuela pienso a menudo en ella. No sé por qué.

Ella no sólo gatea por toda la casa sino también en mis pensamientos.

¿Qué estará haciendo en estos momentos? ¿Estará llorando o durmiendo? ¿Tendrá limpio su pantaloncito?

Por ella me regañaron en la escuela y me pusieron un uno.

Eso sucedió así: Estábamos en clase de español y la profesora nos explicaba los sustantivos. Como en el idioma español hay tantas palabras, también hay muchos sustantivos. Cuántos son, no lo sé exactamente en este momento. La profesora nos dijo que *hombre* era un sustantivo y que *pañal* también era un sustantivo.

Cuando dijo *pañal* empecé inmediatamente, no sé por qué, a pensar en Susanita y en si tendría el pañal limpio.

Así pues me fui, de pronto, con mis pensamientos, muy lejos del salón de clase.

—Eh, tú, ¿en qué estás pensando? —me dijo mi amigo Pedro, quien estaba sentado junto a mí, y mientras me decía eso me dio un codazo.

—Ennuestrobebé —le respondí—. En Susanita.

—Y... ¿qué piensas? —quería saber él.

—Me preguntaba si tendría el pañal limpio —le dije yo.

—¿Y es que ella no avisa cuando tiene ganas de ir al baño?

—No. Es demasiado pequeña todavía.

—Con seguridad tu casa huele horrible.

—A veces, cuando mamá le cambia el pañal.

—¿Y por qué no le enseñas a avisar cuando tenga ganas?

—Porque todavía es muy pequeña.

—¿Sabe gatear ya?

—Claro que sí. Gatea por todo el apartamento como un cucarrón.

—Entonces ya no es tan pequeña —dijo Pedro —y sí le puedes enseñar a avisar cuando tenga ganas.

—No lo creo. Todavía no puede hablar. Lo único que dice es "aaaaa", "ooooo" y "aaaauuuu".

—¡Eso es precisamente lo que estoy diciendo! Ella debería decir "a-a" si tiene ganas. Yo conocí una vez a un bebé que gateaba y decía "a-a" cuando tenía ganas.

—No te creo.

—Que sí. Tú sólo tienes que enseñárselo.

—¿Y cómo?

—Debes indicarle que tiene que hacer fuerza y, al mismo tiempo, debes decir "a-a" y "uuuuu" hasta que ella entienda.

—Oye, Pedro, ¿tienes tiempo después de la escuela?

—¿Por qué?

—Para que vengas conmigo a casa y me digas cómo debo enseñarle a Susanita a avisarnos cuando tenga ganas. Es una buena idea, ¿no te parece?

—Bueno, iré contigo —asintió él.

Precisamente cuando Pedro terminó de decir eso y yo me alegraba de que me acompañara, oímos la voz de nuestra maestra:

—Y ahora, niños, Pedro y Claudio nos van a contar qué aprendimos en esta hora de clase. ¿Cuál de los dos quiere empezar?

Ella se refería a Pedro y a mí. Yo soy el único Claudio del salón, y Pedro es el único Pedro.

Miré a Pedro.

Pedro me miró.

Yo pensaba que él debía empezar, pero en su mirada pude leer que él hubiera preferido de mil amores que yo empezara.

—Muy bien —dijo la maestra—. ¿Sobre qué hablé hoy?

Volví a mirar a Pedro, y Pedro me volvió a mirar a mí.

—¿Sabes sobre qué habló? —le susurré al oído.

En el mismo tono me respondió:

—No. ¿Y tú?

—Yo tampoco.

—Y ahora, ¿qué hacemos? Oye, ¿no quieres empezar tú?

—No. ¿Y tú?

—¡Yo tampoco!

—¿Quién quiere, pues, empezar? —preguntó nuevamente nuestra profesora.

—Pedro. Pedro debe empezar... —dije yo en voz queda.

—¿Yo? ¿Por qué? Que empiece él —dijo Pedro.

Ahora me tocaba decir algo.

—Usted habló... —yo hice una pausa—. Hablamos... —e hice una pausa todavía más larga.

—¿Sobre qué hablamos? —la profesora pretendía ayudarme—. ¿No te acuerdas sobre qué hablamos?

—Oh, claro que sí. Pero no puedo decirlo muy exactamente.

—Aprendimos algo sobre los sustantivos —dijo la maestra.

—¡Claro! ¡Claro! —asentí yo con entusiasmo—. Hablamos sobre los sustantivos.

—¿Me puedes dar un ejemplo? Piensa en la oración *El león se come a la jirafa.* ¿Cuál de estas palabras es el sustantivo?

¡Hmmm! ¡Era lo único que me faltaba!

"El león se come a la jirafa. ¿Cuál de estas palabras es el sustantivo?" Yo pensé con detenimiento.

"El león se come a la jirafa. El león se come a la jirafa. El león se come a la jirafa".

De pronto todo fue claro para mí. ¿Qué es lo que hace básicamente el león toda su vida? Comer jirafas.

Él come jirafas dondequiera que las encuentre.

Entonces comer debía ser el sustantivo.

—¡Comer! —exclamé—. El sustantivo es comer, pues el león come jirafas.

La maestra se dirigió entonces a Pedro.

—¿Y tú? —preguntó—. ¿Tú qué opinas?

—¡Yo opino lo mismo que él! —dijo Pedro—. Todos sabemos que la ocupación principal del león es comer.

Los leones se comen todo lo que encuentran. Por eso *comer* es el sustantivo.

—Yo creo —exclamé satisfecho y aliviado, ya que Pedro me había apoyado tan decididamente—, yo creo que un león podría comerse diez jirafas por día si quisiera. ¿No es así?

—¡Así es! —afirmó Pedro.

Llenos de expectativa miramos a nuestra profesora.

—¡Con que diez jirafas...! —dijo—. Por esas diez jirafas debería darles una calificación máxima de dos; pero como ustedes son dos, la dividiré por dos, de manera que a cada cual le corresponderá un uno. Eso les pasa por hablar todo el tiempo y perturbar la clase.

Así, pues, a los dos —a Pedro y a mí— nos regañaron por causa de Susanita y nos pusieron un uno a cada uno. La vida es muy injusta.

La profesora explicó luego que en esa oración no había uno, sino dos sustantivos: *León* y *jirafa*.

Por qué *jirafa* es un sustantivo es algo que todavía no tengo del todo claro.

El león se la habría comido de cualquier modo.

6. ¡Qué bueno que los bebés no puedan hablar!

Sin embargo, Pedro y yo no estábamos demasiado tristes por los regaños o por los unos.

—Algo así le puede pasar a cualquiera —dijo Pedro.

Yo estuve de acuerdo:

—Nosotros no hicimos nada malo.

—No. Nosotros sólo hablamos todo el tiempo.

—Sí, pero muy bajito.

—¿Alguien de la clase se quejó?

—No, nadie.

—Entonces la maestra no tenía razón para regañarnos.

—Yo opino lo mismo...

—Se lo contaré a mamá...

—Yo también...

—Tú me servirás de testigo.

—¡Claro! Y tú serás mi testigo.

—¡Seguro!

—Y ahora ¿qué hacemos?

—Tú vienes conmigo a casa para que ambos le enseñemos a Susanita a avisar cuando tenga ganas de ir al baño. Si lo logramos, mamá se alegrará muchísimo.

—Claro que lo vamos a lograr —dijo Pedro.

Entonces fuimos a casa. Susana dormía como un angelito en su cunita.

—Qué bueno que hayas venido temprano —dijo mamá—. Susanita acaba de quedarse dormida. Seguramente va a dormir un buen rato. Yo iré a hacer mercado y tú te quedarás aquí.

—Sí, mamá.

—Y, por favor, no hagas ruido para que no se despierte.

—Sí, mamá.

Mamá no había acabado de cerrar la puerta, cuando Pedro preguntó:

—¿Qué hacemos ahora?

—Tenemos que hacer ruido para que Susanita se despierte. Luego le enseñaremos qué debe decir cuando tenga ganas.

De inmediato empezamos a hablar en voz alta. Prendimos el radio, pero mi hermanita Susana nada que se despertaba.

—¡Holaaaa! —exclamé al pie de su cama—. ¡Holaaaa, Susanitaaaa!

Y con todo y eso Susanita siguió durmiendo.

¿Qué podíamos hacer?

—¿Sabes qué? —dijo Pedro—. Hagámosle cosquillas en la punta de la nariz. Eso hace que los bebés se despierten inmediatamente.

Empezamos, pues, a hacerle cosquillas a Susanita en la punta de la nariz.

—¡Holaaaa, Susanaaaaa!

En vano, Susanita lo único que hizo fue voltearse para el otro lado.

—¡Holaaaa, Susanitaaaaa! Despiértate, pequeña. Te vamos a enseñar algo maravilloso. ¿No quieres?

Yo hablaba y hablaba, pero ella no se despertaba.

—¿Sabes una cosa? —propuso Pedro—. Saquémosla de su cunita. Así tendrá que despertarse.

—Bueno —aprobé yo—. Saquémosla de su cuna.

Eso hicimos. Pero entonces Susanita empezó, de pronto, a llorar terriblemente. Tan terriblemente que no podíamos hacerla callar.

—¡Cálmate, por favor! —le decía yo—. Susanita, deja de llorar, por favor, o Pedro no te podrá enseñar lo que vas a decir cuando tengas ganas.

—¡Uuuuuuuaaaaaaa! ¡Uuuuuuuuuuuuuuaaaaaaaaaaa! ¡Uuuuuuuuuuuuuuuuaaaaaaaaa!

Nada ni nadie podían hacerla callar. Por el contrario, cada vez lloraba más fuerte:

—¡Uuuuuuuuuuuuuaaaaaaaaaaa! ¡Uuuuuuuuuaaaaaaaaaaaaaa!

Pedro y yo estábamos desesperados.

—¡Susanita linda, no llores más, por favor!

—¡Uuuuuuuaaaaaaaaaaa!

Ella no nos oía. Estaba colorada y chillaba tan duro, tan duro, que pensé que se iba a quebrar algún vidrio de la ventana.

De pronto Pedro me dijo:

—¿Sabes? Tengo que irme a casa. No me puedo quedar tanto tiempo aquí.

Y se fue.

—¡Espera! —le grité yo—. ¡Esperaaaa! Ayúdame a llevarla otra vez a su cama.

—¡Uuuuuuuaaaaauuuuuu! —lloraba Susanita—. ¡Uuuuuuaaaaaaa!

Cada vez lloraba más fuerte. Era insoportable.

—Susanita querida, tienes que dormirte otra vez —le decía yo tratando de convencerla.

Sin embargo, ella seguía llorando sin parar.

¿Qué podía hacer en esas circunstancias? Yo ya tenía dolor de cabeza.

Entonces me acordé del "oropax". Con él me atarugué los oídos y ésa fue mi salvación.

Naturalmente tampoco oí cuando mamá tocó a la puerta. Ella misma tuvo que abrirla, a pesar de que traía dos bolsas llenas de alimentos.

—Dime una cosa —me preguntó—: ¿Es que te volviste sordo o te pusiste algodón en los dos oídos?

—No. "¡Oropax!"—le respondí.

Naturalmente no le conté a mamá por qué Susanita lloraba tan horriblemente. Yo le dije que se había despertado solita.

¡A veces es bueno que los bebés no sepan hablar!

7. Susanita es un bebé inteligente

Yo le conté a mamá que hay un bebé que todavía no camina, pero que avisa siempre que tiene ganas de ir al baño.

—No digas tonterías —dijo ella.

—Sí, mamá, ¡de verdad que sí!

—¿Quién te metió esos cuentos en la cabeza?

—Pedro. El conoce al bebé.

Mamá no me quería creer. Por eso decidí enseñarle a Susanita a portarse como el bebé que Pedro conoce. Seguramente ella no era menos inteligente que él. A lo mejor era más inteligente.

Yo lo intenté cada vez que mamá no estaba en casa.

—Mira, Susanita, cuando tengas ganas, debes decir "a-a", y luego hacer fuerza como se debe. ¡Así!

Yo me acurrucaba frente a ella y hacía fuerza con todas las de la ley, de manera que hasta la cara se me ponía colorada. Susanita chupaba su biberón y reía. Ella ya podía sentarse y sostener su biberón cuando no estaba demasiado lleno. Su calvita se poblaba cada vez más de cabello rubio y suave, y yo se la acariciaba todos los días; su rostro se iluminaba de alegría y ella comenzaba a agitar sus piernitas. ¡Era muy divertido! Estiraba sus manitas hacia mí, y cuando tocaba mi nariz o mi cabello, me agarraba con todas sus fuerzas. Quería que la sacara de su cunita y me pusiera a jugar con ella, o que gateáramos juntos por el apartamento.

Cuando gateaba reía siempre a todo pulmón.

—¡Ahora te voy a agarrar, te voy a agarrar! —gritaba yo, y me ponía a gatear detrás de ella.

Susana gateaba y levantaba su colita envuelta en pañales.

No me parecía bien que Susanita necesitara pañales todos los días. ¡Son tan caros! Mamá siempre suspira profundamente cuando tiene que comprar pañales nuevos.

—Un paquete de pañales cuesta tanto como treinta botellas de leche —dice.

¿Cómo les parece?

Y Susanita consumía pañales co mo panes calientes. No tenía idea de lo caros que son. Yo pensaba, horrorizado, que lo que salía de su rabito nos costaba mucho más que lo que ella se comía.

Las cosas no podían seguir así. Tenía que practicar mucho con ella pa ra que aprendiera a decir "a-a" cuando tuviera ganas.

—Mira, preciosa Susanita. ¡Obsérvame bien! Tienes que decir "a-a, a-a" cuando tengas ganas. "Aa-aaa-aaa- aaa". Y luego te quitaré el pañal, ¿me entiendes? Y luego harás pipí o una montañita en tu pequeña bacinilla. ¿Me entendiste?

Ella decía:

—Ga-ga.

—Por favor, no digas "ga-ga", sino "a-a. Y haz fuerza muy juiciosita, así como yo: "Aaa-aaa-aaa".

—Ga-ga-ga...

—No "ga-ga-ga", sino "aaa-aaa-aaa", y haz fuerza, ¿sí?

—¡Ga-ga!

—Yo no digo "ga-ga" sino "aaa aaa-aaa".

—¡Ga-ga!

—Niña, ¿acaso eres boba? ¿Quieres que me enoje?

—Ga-ga-ga

—¿Por qué no entiendes? "¡Aaaaaaa-aaaa!" —exclamé.

Y de pronto vi que su carita se ponía roja. Muy roja. Seguramente tan roja como la mía cuando hacía fuerza frente a ella. De pronto dijo:

—¡Aaaa-aaaa-aaaa!

¡Caramba, al fin había entendido!

—¡Aaaa-aaaa-aaaa!

Y lo volvió a decir y su carita se puso todavía más colorada.

—¡Espera, Susanita! —exclamé—. ¡Esperaaaa pues tengo que traerte una bacinillita!

Salí disparado a traer una bacinilla, pero me di cuenta de que no teníamos ninguna. Y no teníamos una porque mamá opinaba que Susanita era aún muy pequeña para necesitarla.

¿Qué debía hacer en aquel trance? Mamá había salido de compras y yo me encontraba en casa solo con Susana.

No había duda de que me había entendido pues en la habitación ya empezaba a sentirse un olorcillo bastante peculiar.

Susanita había esperado que yo le llevara una bacinilla, pero, como yo no regresé, lo había hecho en su pantaloncito. De eso no había duda.

La pobre empezó a gemir y luego a llorar desconsolada.

Con seguridad estaba muy desilusionada de mí.

Más tarde mamá encontró una montañita en el pañal de Susana, tal como yo esperaba.

Sin embargo, no quiso creer que Susanita hubiera anunciado su gran operación con un "aaaa-aaaa-aaaa".

8. Auto-auto

Desde que mi hermanita se sienta y gatea, ya no quiere quedarse en su camita. Quiere que mamá la cargue.

Quiere salirse de su cuna.

A veces yo la paseo en brazos por el apartamento y le muestro las habitaciones. "Ésta es la sala, ésta es la cocina y éste es mi cuarto". Pero Susanita ha crecido tanto que yo ya no la puedo llevar en brazos por mucho tiempo. Por lo menos no tanto tiempo como ella quisiera. Si la cargara tanto como ella quiere, no podría jugar ni tampoco tendría tiempo para hacer mis tareas. Por eso le digo:

—Susanita, así no se puede. Yo no te puedo alzar todo el tiempo. Si te cargo a todas horas, ¿quién va a escribir la composición que me pusieron de tarea? Tienes que entenderlo, Susanita. A mí me gusta cargarte, pero no por tanto tiempo. Sólo un rato, ¿bueno?

Ella dice entonces:

—Auto-auto.

Por qué desde hace unos días me dice "auto-auto", no lo sabe nadie. Pero me lo dice una y otra vez, cuando me ve.

—Auto-auto...

—Yo no soy un auto, soy una persona.

—Auto

—Yo no soy ningún auto, Susanita. Yo soy tu hermano.

—Auto.

—Yo me llamo Claudio y no Auto.

—Auto.

—¡Claudio! ¡Claudio! ¡Auto no! —se lo expliqué muy pacientemente.

Ella me mira, agita sus manitas y dice otra vez:

—Auto.

¿Tendré que hacer como un automóvil para que se ponga contenta?

Buena idea, pienso, y empiezo inmediatamente a imitar el sonido del motor: ¡Brrrrr-brrrrrrr!

—¿Oyes, Susana? Auto-auto, ¡brr!, ¡brrrrummm!

—¡Auto! —dice ella—. ¡Auto! —y se mueve de aquí para allá como una loquita.

¡Ajá! Ya creo entender. Quizás lo que Susanita quiere es que yo le regale un cochecito, pues todavía no tiene uno en su colección de juguetes. Todos le regalan muñecas o animales de peluche.

La abuelita María le regaló un osito y la abuelita Nelly una muñeca. Además, tiene una rana verde de trapo, tres osos y un pato de peluche. Pero todavía no tiene ni un sólo automóvil.

—Bueno, Susanita —le dije—. Te voy a regalar un automóvil. Uno de mis automóviles de juguete. De qué color lo quieres: ¿rojo, azul o verde? O ¿quizás amarillo?

Susanita no decía nada.

—¿De qué color quieres tu auto? —le pregunté nuevamente.

Ella dijo tan sólo:

—Auto.

Entonces comprendí que lo que quería era simplemente un auto y que el color no le interesaba.

Fui entonces a mi habitación y escogí para Susanita uno de mis autos. Se lo llevé a su cama y le dije:

—Me dejarás jugar luego con él a pesar de que te lo haya regalado, ¿no es cierto?

Ella se rió, y yo entendí que estaba de acuerdo con mi propuesta. ¡Gracias a Dios! Era el más bonito de mis autos.

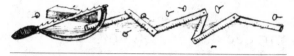

9. El corral

Un buen día papá dijo que Susanita necesitaba un corral porque ya estaba muy grande.

—Su camita es demasiado pequeña para que juegue en ella —dijo.

—Tienes razón —asintió mamá—. Ella necesita un corral.

Yo me sorprendí mucho. ¿En qué corral querían meter mis padres a la pobre Susana? Confieso que hasta me dio miedo.

—¡Ella no necesita ningún corral! —grité—. Los corrales son para los perros. Eso es claro. No, los perros tienen perreras. Ahora que lo pienso, ¡un corral es para los burros y las vacas, no para los niños! No permitiré que metan a Susanita en un corral.

Papá se rió.

—No es un corral de verdad. A Susanita le vamos a comprar un corral para niños, para que no tenga que gatear por todas partes. Tú también tuviste un corral de ésos.

—¿De veras? Y, ¿dónde está?

—Hace tiempo lo vendimos. Por eso tendremos que comprarle uno nuevo a Susanita.

—Susanita se alegrará mucho —opinó mamá—. Tendrá suficiente espacio para jugar. Pero ¿dónde lo vamos a instalar?

—En la sala, naturalmente —anotó papá—. ¿O tienes una propuesta mejor?

—Pero, ¿qué es un corral? —insistí yo.

—Ya lo verás cuando lo compremos —dijo papá—. Se trata de cuatro barandas con barrotes de madera, que se atornillan para formar una especie de cerca. Dentro, el bebé tiene espacio para jugar.

El sábado fuimos todos a comprar el corralito para Susana. Ella también vino con nosotros en su cochecito. Y lo empujaba con orgullo, como corresponde a un hermano mayor, pues ella es ciertamente mi hermana.

En el camino nos encontramos con dos niños de mi salón. "¿Es éste el bebé?", gritaron, y se abalanzaron sobre el coche de Susanita. Creo que tenían envidia.

Mamá escogió para Susanita un corral verde que a todos nos pareció muy bonito. Tenía barandas de madera muy bien pulidas y los extremos eran redondos.

Mamá dijo:

—Está excelente. Susanita no se lastimará cuando se pegue contra la baranda.

La madera estaba pintada y brillaba desde lejos. El corralito tenía piso de plástico suave y acolchonado, verde como la hierba, con florecillas amarillas y rojas, como una pradera.

—Susanita, ahora no sólo tienes un corralito, ¡sino también un prado para jugar! —exclamé.

Susana me miró feliz y dijo:

—O-oh, paaado, paaado...

Yo dije:

—Verd... verde...

—Veeeee-deeeeee...

—Vede no. Verde, verde. Ahora tienes un prado verde para jugar.

—Noooo pado, nooo pado...

Después regresamos a casa y papá armó el corral de Susanita en la sala. Atornilló las cuatro barandas y en la mitad colocó el blando piso de plástico que parecía una pradera florecida.

—Papá, ¿cuando yo era bebé también tuve un corral tan bonito como éste? —pregunté.

—Tú tuviste uno sin piso. En aquella época no había corrales tan bonitos como éste.

Papá puso algunos juguetes en el corral. Luego metimos a Susana y pensamos que se alegraría muchísimo.

—Al fin voy a tener tranquilidad —dijo mamá.

—Ya lo creo —agregó papá.

—¡Mira cómo se divierte ahí dentro! —exclamé yo.

Y era cierto. Pero no por mucho tiempo.

Cuando mamá y papá se fueron a visitar a una familia vecina y yo pensaba ponerme a hacer mis tareas, Susanita empezó a lloriquear pues quería salirse del corral.

—¡Cálmate! —le dije. Por favor, ¡cálmate!

Pero hubiera sido mejor no decir nada, pues empezó a llorar cada vez con mayor volumen.

—Susanita, por favor. ¡El corral es una belleza! ¡Gatea ahí dentro!

Pero ella quería salirse y apretaba su cabecita contra las barras de madera, chillando como si la estuvieran matando.

Tuve que sacarla del corral.

Una vez estuvo afuera se tranquilizó y empezó a gatear por todas partes. Nuevamente asomó la risa a su carita.

Cuando traté de ponerla otra vez en el corral, volvió a llorar y se resistió con pies y manos.

Yo traté de convencerla:

—Oye, Susanita, ¿por qué te pones así? ¿Para quién compramos este corralito tan lindo? ¿Para ti o para mí? Si tú no quieres gatear ahí dentro, entonces me meteré yo. Ahí me sentaré y haré mis tareas. ¿Me entendiste?

Nuevamente volví a intentar ponerla dentro, pero veloz como un cohete se me escabulló, gateando.

—¡Te voy a atrapar, te voy a atrapar!

Ahora gateaba yo detrás de Susanita.

—Ooooh-oooooh-fafa-gaga ohhhh...

A veces dice cosas tan extrañas que nadie puede entenderlas.

Intenté atraerla hacia el corral, pero cada vez hacía curvas más grandes en torno de él.

—Basta. Te voy a meter en tu corral. ¿Entendido?

De inmediato empezó a llorar otra vez, tan fuerte como sus pulmones se lo permitían. Entonces entendí lo que pasaba: Ella no quería meterse al corral, a pesar de que era suyo.

—Bueno. Como tú quieras. ¡Voy a adueñarme de tu corral ya que no lo quieres! —dije, y tomando mis libros me senté dentro.

Así nos encontraron mamá y papá cuando regresaron: Yo estaba dentro del corral y Susanita gateaba por el apartamento.

—¿Por qué estás en el corral? —me preguntaron los dos, un poco asombrados.

—Porque Susanita no quiere estar aquí dentro y alguien tiene que utilizar el corral, ¡pues para algo lo compramos! —les expliqué.

10. De cómo Susanita
se convirtió en una niñita

Imagínense: desde ayer mi hermanita Susana dejó de ser un bebé. Desde ayer es una niña pequeña pues dio ya sus primeros pasos. Un bebé que camina no es ya, como todo el mundo sabe, un bebé. Un bebé que camina es un niño pequeño.

Ya les había contado que últimamente ella gateaba como un escarabajo, con su colita en alto y cada vez a mayor velocidad.

Luego empezó a incorporarse apoyándose en las paredes, aunque con frecuencia, al gatear, chocaba contra ellas. Esto lo hacía en todas partes: en la cocina, en la sala, en el dormitorio. Desde entonces todas las paredes de nuestro apartamento están repletas de las huellas de sus manos y dedos.

Y ayer se desprendió de repente de la pared y dio solita tres pasos. Se cayó, pero no pareció importarle mucho. Entonces volvió a gatear hacia la pared, se paró otra vez y volvió a dar tres pasos. Su carita se iluminó cuando lo logró, y se puso muy contenta.

Yo fui el primero en ver sus tres pasitos.

—¡Mamáaaaa! Rápido, rápido, mira, ¡Susanita ya puede caminar!— grité emocionado.

Mamá vino corriendo de la cocina.

—¿De veras?

—Acaba de dar tres pasos —le dije a mamá—. Susanita, muestra lo que eres capaz de hacer. Muéstraselo a mamá.

Creo que Susanita me entendió inmediatamente pues, gateando, se dirigió derechito a la pared, se paró apoyándose en ella y nos miró sonriendo. Luego dio cuatro pasos hacia mí.

—Dios mío, la niña ya puede caminar. ¡Es verdad! —exclamó mamá.

Yo asentí orgullosamente, como si fuera yo el que hubiera acabado de aprender a caminar, y dije:

—¡Papá se va a llevar una gran sorpresa esta noche!

Susanita estaba muy emocionada. A pesar de que se cayó todas las veces que trató de caminar, siempre se levantó de nuevo y dio unos dos o tres pasos antes de volverse a caer.

Así pasó toda una tarde.

Creo que se sentía muy orgullosa de ya no ser un bebé, sino una niñita.

11. La salchicha en la bañera

Desde que mi hermana Susanita camina, se la pasa todo el tiempo detrás de mí. Creo que le gusto mucho. Siempre quiere decirme algo. Pero ¿qué?

—¡Ga-ga-miaa-aaaa-mamá-bebé-gaga-miaaa-uuuu-aaa!

¿Qué entendiste?

Exactamente lo mismo que yo. A veces me sorprende que hable tanto.

Como todo el mundo sabe, ella no puede hablar correctamente. Pero ella no lo sabe. Ella habla a todas horas, y cuando lo hace salta y pone una carita muy alegre. A todo el mundo le sonríe. Después, cuando sea grande, voy a preguntarle qué quería decirme todo el tiempo. Por la mañana siempre quiere bañarse conmigo.

Cuando se baña golpea el agua de la bañera con toda la fuerza de sus dos manitas. No se le ocurre que todo puede mojarse. El baño de la casa queda empapado y mamá se enoja mucho.

Yo traté de enseñarle que no debe golpear con sus manitas la superficie del agua cuando está en la bañera.

—Susanita, ¡eso no se hace!

—a-ga, gaga-uuuuu, aaa.

—No sé qué quieres decirme; lo que sí sé es que eso no se hace.

—¡Gaga-uuuuu!

—¿No te das cuenta de que estás mojando todo? El baño está empapado. ¿Qué va a decir mamá? ¡Te va a regañar!

Pero Susana no se preocupó por eso.

Continuó chapaleando en la bañera. Le encanta chapalear.

—Aaaa-a, uuuu... bana-bana túuu-uu-uuu.

Ahora quería que yo me bañara con ella.

—Túuuu —gritaba—. ¡Tú!

—Está bien, Susanita, pero no debes seguir chapaleando. ¿Me entendiste?

—Uuuu-ga, baña, bañaven, tú, ven

De verdad que es inteligente. A veces puedo entender todo lo que me dice.

¿Qué puedo hacer si quiere bañarse conmigo?

Me desvisto y me siento en la bañera en la que Susanita ya está, rebozante de alegría.

—Mamáaaa —exclamó antes, por precaución—, ¿me puedo bañar con Susanita?

—Bueno —responde mamá—. ¡Pero no mojes todo!

¡Fantástico! Entonces intenté enseñarle algo a la niña.

—Mira, Susanita, en la bañera te puedes sentar muy tranquilamente, así como yo. ¿Salpiqué agua al sentarme? No. No se debe chapalear en

una bañera. Piensa que mamá se po
ne a alegar cuando encuentra el piso
del baño mojado, pues tiene que se-
carlo. ¿Me entendiste?

—¡Gaga-oooo-uuuu!

Ella sabía lo que yo quería decir.

—¿Tienes hambre, Susanita?

—¡Ga-gi-guuuuu! —dijo, y se pu
so a chapalear con ambas manos.

—Lástima que no se deba comer
dentro de la bañera, Susanita.

Creo que entendió lo que le di
je pues asintió con la cabeza. Tres o
cuatro veces agitó su cabecita con
un gesto de seriedad.

Luego, de repente, su carita se pu
so colorada. Susanita estaba haciendo fuerza.

—Susanita, ¿qué estás haciendo?
Dentro de la bañera no se debe hacer fuerza. En la bañera no se debe
hacer nada de nada. ¿Me entiendes?

No me entendió pues no dijo ni
una sola palabra y su cara se puso
cada vez más roja.

Y de pronto, ¡juáquete! Algo largo y carmelita flotaba junto a Susanita.

¡Había hecho una salchicha en la bañera ¡Una gran salchicha!

—¡Dios mío! —exclamé horrorizado—. ¿Qué has hecho?

Su cara se iluminó de alivio:

—¡Gaga-guuuu!

—Eso no es gaga-guuuu. Es una montañita. Eso no se hace en la bañera. Y mucho menos cuando yo estoy contigo aquí dentro —exclamé furioso.

Susana no me puso atención. En ese momento estaba muy concentrada en agarrar la salchicha con ambas manos, pero no lo lograba pues ésta siempre se le resbalaba y continuaba flotando.

No tuve otra alternativa que abandonar la bañera y, naturalmente, ir por mamá.

Pero ¿creen que mamá regañó a Susanita?

¡No!

¡Todavía me sigo preguntando qué hubiera pasado si el que hubiera fabricado esa salchicha en la bañera hubiera sido yo y no Susanita!

12. Los dientes de Susanita

Susana ya caminaba, pero, imagínense, aún no tenía dientes. Nadie sabía por qué. Yo ya me estaba preocupando y me preguntaba si, de verdad, le irían a salir dientes. Si no le salían, tendría que ir al dentista y allí le pondrían unos dientes de mentiras. O ¿quizás debería nuestro abuelo pequeño prestarle sus "terceros dientes"? Nosotros tenemos dos abuelitos: el grande y el pequeño. Yo me puse a pensar y me di cuenta de que eso no era posible pues la boca de mi abuelito es mucho más grande que la de Susana. Además, el abuelo pequeño necesita sus "terceros dientes".

Mamá dice que a algunos niños les tardan en salir los primeros dientes. Pero... ¿qué tanto? Yo conocía niños mucho más pequeños que Susanita con cuatro y hasta con ocho dientes. Hasta les miré la boca por dentro a algunos bebés cuando sus mamás estaban comprando la verdura en la tienda.

—¡Yo le cuido su niño! —les proponía, y cuando entraban en la tienda les contaba rápidamente los dientes a los bebés.

De veras. El primero de los niños que examiné tenía cuatro dientes a pesar de que todavía no se podía sentar en el coche.

¡Caramba! ¿Cuándo, finalmente, iban a salirle los dientes a Susanita?

Precisamente, cuando más preocupado estaba por sus dientes, empezaron a salirle. ¡Cinco de un solo tirón! Dos arriba y tres abajo. Poco

después le salieron otros. La pobre Susanita lloró tres días seguidos y tuvo fiebre.

Mamá dice que es bastante doloroso cuando salen tantos dientes al mismo tiempo.

—Pobre Susanita —decía yo—. Qué triste que la salida de los primeros dientes sea tan difícil; pero cuando los tengas, te reirás, pues ya tendrás dientes. ¿No es eso hermoso? Y para ese entonces seguramente hablarás mucho mejor que ahora, ya que con dientes, como todo el mundo sabe, se pueden pronunciar mejor las palabras. ¿Verdad?

Susanita lloriqueaba.

Cuando a Susanita al fin le salieron todos los dientes, papá dijo:

—Ahora nos vamos de vacaciones.

¡Y de verdad que las necesitábamos! Susanita, porque acababa de superar la difícil prueba de la salida de sus primeros dientes, y todos nosotros porque habíamos soportado su permanente lloriqueo.

Fuimos a Grecia, a una isla llamada Miconos.

Allí todo era de color blanco: las calles, las casas, las iglesias y también los molinos de viento. Hasta los troncos de los árboles estaban pintados de blanco. Las mujeres griegas, sin embargo, siempre estaban vestidas de negro. Con seguridad les gustaba ese color pues combina muy bien con el blanco.

En aquella isla a Susanita le crecieron los dientes aún más y se le pusieron muy, muy blancos. Yo me alegré por ella. Una cosa, sin embargo, me daba qué pensar: Susanita había empezado a morder. Quería ensayar sus dientecitos en todas partes.

Una vez estaba yo en la playa junto a papá y mamá. Mamá había acabado de embadurnarme de aceite contra las quemaduras del sol y Susanita jugaba en la arena junto a mí.

"Voy a leer un poco", pensé, y abrí el libro *Yo y mi hermana Clara*. Mamá me lo regaló precisamente porque tengo una hermana. Estaba leyendo la historia de la torta, cuando de repente sentí una serie de espantosos dientecillos en mi pantorrilla. ¿Sería, acaso, un perro, un lobo o quizás un tiburón?

—¡Ooooooh!

Era nada menos que Susanita que, vaya a usted a saber por qué razón, había clavado sus dientes en mi pantorrilla.

—¿Te volviste loca? —grité desesperado—. ¡Mamáaaa, Susanita me está mordiendo!

Mamá saltó de inmediato y de un tirón apartó a Susanita de mí, pero Susanita le pegó a ella tamaño mordizco en la mano.

—¡Susanita, eso no se hace porque duele!

Pero Susanita reía y aplaudía. Se sentía orgullosa de tener dientes.

¿Querría ensayarlos o sólo mostrarlos?

Pocos días después, Susanita mordió a cuatro niños que querían jugar con ella. A una niña la previne:

—No te le acerques demasiado porque muerde....

La niña, sin embargo, no me creyó, pues Susanita parecía muy tierna e inofensiva. Ella le dio muchos besitos a Susana y quería que Susana le diera a su vez un beso. Mi linda hermanita, naturalmente, la mordió, y la niña salió corriendo hacia donde sus papás.

Entonces empecé a regañar a Susanita:

—¿Por qué muerdes a los demás niños? ¿No entiendes que tú no eres un perrito?

Yo creo que no me entendió.

Les aseguro que en aquella ocasión pensé seriamente si no deberíamos colgarle al cuello un aviso que dijera:

"Cuidado: ¡Niña mordelona!"

Luego Susanita dejó de morder. Cómo sucedió se los contaré en una próxima ocasión.